俄罗斯聪明玛莎出版社
北京开心球动漫技术有限公司

护身符

赵力 译

不再害怕，也许你比自己想象的更勇敢!

中国人民大学出版社
·北京·

人物介绍

喜欢运动和探险，爱吃胡萝卜

一只淘气、多嘴的兔子。活泼好动，充满活力，是个乐天派，和猬小弟是最好的朋友。

喜欢收藏各种东西，喜欢看书

善良、有礼貌、乐于助人、有一点点害羞。这只小刺猬总是不慌不忙，外表很温柔，内心很勇敢。

爱漂亮，喜欢幻想，喜欢收礼物

可爱迷人的女孩，爱吃甜食，微胖界美女。经常鼓舞其他开心球去完成重要的事情，喜欢得到赞美。

喜欢文学、诗歌和艺术

非常敏感、容易受伤，开心球中的著名诗人。一直在寻找灵感，散发着忧郁而浪漫的诗人气息。

热爱科学、读书和美食

很有才华的科学家，生活中有点儿笨手笨脚。对待任何问题，他都会在自己的藏书中寻找科学的答案。

巧老师

喜欢烹饪，关心大家的健康

乐于助人、充满爱心的奶奶。随时带着医药箱，经常给别人看病，倡导健康的生活方式，严厉但很公平。

大嘴叔

喜欢旅行，热爱戏剧和音乐

年长的绅士，伟大的旅行家。是个讲故事的能手，有艺术家气质，有一点儿爱吹牛。

农夫熊

喜欢种植，爱吃蜂蜜

温顺憨厚，不善言谈，整天都在地里干农活：耕地、除草、灭虫……他种的蔬菜长得非常快！

平博士

热爱发明，擅长机械，敢于冒险

自学成才的发明家，能将一堆金属碎片变成神奇的机器。喜欢开飞机，经常冒出奇怪的想法。

小贝

聪明绝顶，喜欢探索太空

平博士创造出来的机器人，拥有超强的学习能力，不会说话，但可以发出电脑声波传达信息。

燃烧器
樱桃
胡萝卜

魔法守则第一条：如果你有任何梦想，就一定要尽力去完成它。

兔小跳和猬小弟两个人有同一个梦想：学习飞行。这可不是一个普通的梦想。

遗憾的是，飞行需要有翅膀，而兔小跳和猬小弟都没有。有一天，兔小跳从自家的窗户里望出去，突然发现了一个热气球。他们的梦想可以实现了！他环顾了一下四周，轻声说：“猬小弟，快爬进热气球篮子里去，趁没人看到！”

但还是有人看到了这一切，那就是羊诗弟。

兔小跳开始解开热气球的绳索。

羊诗弟意识到，再迟疑下去就来不及了。他鼓起所有勇气低声说：“可以带上我吗？”

两个航空飞行家对视了一眼，做出了决定：带上羊诗弟。

从热气球上向下看去，在正午阳光的照耀下，朱小美的房子像一块粉色的糖果。但随着小小的糖果渐渐融化在眼前，羊诗弟两腿哆嗦起来，开始头晕。又过了几秒钟，诗人直接趴下了。

“哎呀，停下！不要再往高处升了！求求你们啦！”羊诗弟抓着兔小跳的脚喊道。

“你怎么了？”兔小跳疑惑地问。

“我恐高！”羊诗弟的声音从座位底下传来。

樱桃

朋友们只好把大哭的羊诗弟放回到地面上。踏上结实的土地后，惊魂未定的羊诗弟擦了擦眼泪，拖着沉重的脚步向家走去。

“我的恐惧真够让人笑话的——我都不敢飞上天空！我该怎么办？”回家的路上，羊诗弟沮丧地想。

在山顶，他遇见了巧老师。她仔细听了诗人的诉苦，然后给羊诗弟擦了擦鼻子，解释说：“第一，你不是恐高，你是害怕土地。你担心摔下来，啪，就摔成肉饼了！你是自己吓自己！”

“那怎么办呢？”羊诗弟抽泣着问。

“很简单，你需要一个护身符！”巧老师郑重地说。

配方
16

巧老师收藏了很多东西。她的床头柜、抽屉和箱子里存放着无数她想存放的东西。

经过短暂而努力的搜寻，巧老师在抽屉中找到了护身符——解决一切问题的良药。

这是羊诗弟生平第一次得到一个真正的宝物：一根绳子串着的圆的、黄色的、还带着四个整齐小洞的吉祥物。

“它真的能帮助我？”羊诗弟有点儿不敢相信，他用牙齿偷偷地咬了咬吉祥物。

“当然了，你就放心吧！但是你必须全心相信它！”

羊诗弟手里紧攥着护身符，转身向着热气球追去。

当他追上热气球的时候，兔小跳和猬小弟已经飞得相当高了。为了让羊诗弟回到气球上来，他们扔下了绳梯。

“你不是恐高吗？”兔小跳不明白。

“是的，我曾经恐高。但我现在不害怕了！”羊诗弟愉快地喊道，抓住绳梯爬进了热气球。

“怎么会这样？”猬小弟很奇怪，十分钟前还害怕得直发抖的羊诗弟，现在竟然不害怕了？

“我现在什么也不怕了!”羊诗弟抓着热气球篮子的边缘，在篮子里蹦。他骄傲地挺起了胸脯，“我有护身符！”

在热气球上，羊诗弟的勇敢无畏表现得淋漓尽致：滑倒——不担心；踩空——也没什么。他像鸟儿一样蹦来蹦去，甚至拽着绳子跳华尔兹，简直就像超人一样！

可是热气球却发生了微妙的变化。不知羊诗弟碰到了哪根重要的绳子，热气球似乎快要散架了，篮子噼啪作响，歪向了一侧。开心球们害怕地紧紧抓住热气球上的绳子。

热气球失去控制，往北部山脉的悬崖峭壁飞去。

气温变得越来越低，兔小跳的耳朵已经开始被冰霜覆盖。旅行看起来应该马上结束。但是，加热气体的阀门却怎么也打不开。

“别害怕，我们会没事的。”羊诗弟安慰着朋友们，充满信心地摩挲着护身符。

“依我看，我们会被冻死。”冷得蜷缩成一团的猬小弟低声说。

朋友们显然不怎么相信护身符的神奇力量。

羊诗弟握紧了护身符，决定爬到气球顶上去打开阀门。

“你去哪儿？小心掉下去。”猬小弟害怕地说。

“我有护身符！”羊诗弟的声音从上面不知什么地方飘来，“有它在我就不怕了。”

当羊诗弟离阀门已经很近的时候，忽然从地面传来了一个声音，“羊诗弟，我找到了，它在这儿呢。”

原来是巧老师在跟着热气球跑，手里还举着什么东西在头顶上晃动着。羊诗弟望了一眼，看到一个小小的玩具一样的东西。

“你找到了什么？”羊诗弟喊道。

“护身符！”

“那这是什么？”羊诗弟惊奇地问道，并把自己的护身符举起来给巧老师看。

“大概只是一颗普通的纽扣吧。”

羊诗弟的脚下一滑。“天呀！”他紧紧地抓住了绳子。大胆表演的空中飞行员不见了。羊诗弟的手有点儿抖，心更是早跳到地面上去了。

“谁能把我从这儿带走……”他抱着气球大叫。

气球带着他们飞过白雪皑皑的山峰。兔小跳的耳朵变成了反射着白光的冰柱，他死死地抓着绳子。

猬小弟的眼镜上覆盖着带花纹的冰霜，现在他看起来更像一个漂亮的圣诞节玩偶。现在能帮助他们的只有羊诗弟，他比其他人离那个救命的阀门更近。

但是，羊诗弟从头到脚都被冰霜冻住了。

“羊，羊诗弟，快去阀门那儿，打开它。”兔小跳颤抖着说道。

但是他只听到一声很虚弱的回答，“不行，我害怕。”

猬小弟和兔小跳齐声喊道：“你可以的。”

喊叫声让羊诗弟恢复了知觉，他积蓄了最后的力量，爬向阀门。

我们的羊诗弟勇敢地打开了阀门，热气球又恢复了控制，旅行者们进入到紧急迫降阶段。

风雪抽打在他们脸上，绳子从这边晃到那边，离树越来越近了。

突然“啪”一声响——一切都结束了。

森林一片寂静。橡树枝上挂着簌簌作响的彩色破布和几根绳子，还有未融化的冰——这就是热气球上剩下的所有东西。

气球彻底完蛋了，但万幸的是旅客们没发生什么可怕的事情。巧老师及时赶来帮助他们。她给兔小跳冻伤的耳朵涂抹上缓解疼痛的药膏，给猬小弟裹上棉被。羊诗弟不需要医疗救助，他静静地坐在那里，手里抓着一颗纽扣。

猬小弟叹了口气，遗憾地说道：“我们的旅行结束了。”

“真的吗？”羊诗弟却兴奋地问道。

羊诗弟用愉快的眼神环视了朋友们一圈，放松地倒在地上昏了过去。他需要一个人静静，不是每天都那么惊险刺激的。

开心球词典

英雄： 能够勇敢完成各种英雄行为的人。但是要想成为英雄，只有勇敢是不够的，还需要善良和诚实。谁要是勇敢地去做坏事，那就不是英雄。在电影和书中，英雄这个词通常等同于“主角”，比如兔小跳是故事中的主角，羊诗弟也是。

梦想： 就是非常强烈的愿望。因为有梦想，你甚至可以飞向宇宙——如果你的梦想是成为一名宇航员。所有梦想家最重要的原则是：只要你相信它，它就一定会实现。梦想实现后就不再是梦想。不过，很快就会有新的梦想出现，比以前的还好。

失败： 就是你做什么事情都不顺利的时候。例如，你决定去晒太阳，结果到了海边刚刚舒服地躺好，这时候雨来了，这实在太不幸了。如果谁经常不走运，就被称为失败者。当然，失败者也可以成为幸福的人，如果你想的话——需要的仅仅是努力。

勇气：就是战胜恐惧的力气。比如，鹿教授需要穿越汹涌的河水，但他有恐高症。而在河另一边是伟大的发现在等着他。发现比恐惧更重要，因此他鼓足勇气沿着细木板迅速地过了河——他战胜了恐惧。

恐惧：就是某种害怕。每个人都有自己的恐惧，这个人害怕高，那个人害怕甲虫，另一个人害怕黑暗。尽管在黑暗中什么都看不到，但是胆小鬼因为害怕，总觉得那里坐着大而可怕的东西。因此人们常说：恐惧是个深深的大黑洞。

护身符：就是被认为能给主人带来幸福和平安的一样东西。很多人相信护身符可以赶走霉运。不过，护身符本身也需要帮助。为了使它正常工作，主人一定要仔细爱护它。

手工制作：

1. 找一个你最爱的小东西，比如：你最喜欢的开心球的形象。
2. 从一小块皮子上精心地剪下一条绳子来。
3. 把护身符穿到皮绳子上。

开心球护身符

4. 现在要对护身符进行充电——每次当你遇到什么不顺利的事情的时候，要微笑，并把吉祥物牢牢地握在手中。
5. 经过十次充电后，你的护身符准备就绪，可以工作了。

图书在版编目（CIP）数据

护身符/俄罗斯聪明玛莎出版社，北京开心球动漫技术有限公司编著；赵力译．—北京：中国人民大学出版社，2015.1

（开心球）

ISBN 978-7-300-20601-1

Ⅰ．①护… Ⅱ．①俄… ②北… ③赵… Ⅲ．①儿童文学－图画故事－俄罗斯－现代 Ⅳ．①I512.85

中国版本图书馆CIP数据核字（2014）第313245号

俄罗斯原版图书由A.马利根诺娃，I.波波夫，A.普罗霍罗，S.沙伊西努洛夫，I.舍甫丘克等编创。

绿色印刷　保护环境　爱护健康

亲爱的读者朋友：

本书已入选“北京市绿色印刷工程——优秀出版物绿色印刷示范项目”。它采用绿色印刷标准印制，在封底印有“绿色印刷产品”标志。

按照国家环境标准（HJ2503-2011）《环境标志产品技术要求 印刷 第一部分：平版印刷》，本书选用环保型纸张、油墨、胶水等原辅材料，生产过程注重节能减排，印刷产品符合人体健康要求。

选择绿色印刷图书，畅享环保健康阅读！

北京市绿色印刷工程

开心球

护身符

俄罗斯聪明玛莎出版社　北京开心球动漫技术有限公司　编著

赵　力　译

Hushenfu

出版发行	中国人民大学出版社		
社　　址	北京中关村大街31号	**邮政编码**	100080
电　　话	010－62511242（总编室）		010－62511770（质管部）
	010－82501766（邮购部）		010－62514148（门市部）
	010－62515195（发行公司）		010－62515275（盗版举报）
网　　址	http://www.crup.com.cn		
	http://www.ttrent.com（人大教研网）		
经　　销	新华书店		
印　　刷	北京尚唐印刷包装有限公司		
规　　格	210mm×236mm　16开本	**版　　次**	2015年3月第1版
印　　张	2　插1	**印　　次**	2015年3月第1次印刷
字　　数	5 000	**定　　价**	15.00元